FIRST ART BOOK

뭐야?

동그라미, 세모, 네모야!

What's this? Circles, Triangles, Squares!

BABA

동그라미들이 한데 모여 축제를 해요

서로 다른 색깔도

따스하게 품어주는 동그라미들

커다란 동그라미는

작은 동그라미를 안아줄 수 있거든요

그렇게 서로 껴안아주며

동글동글 따뜻한 세상 만들어가요

동그라미 CIRCLE

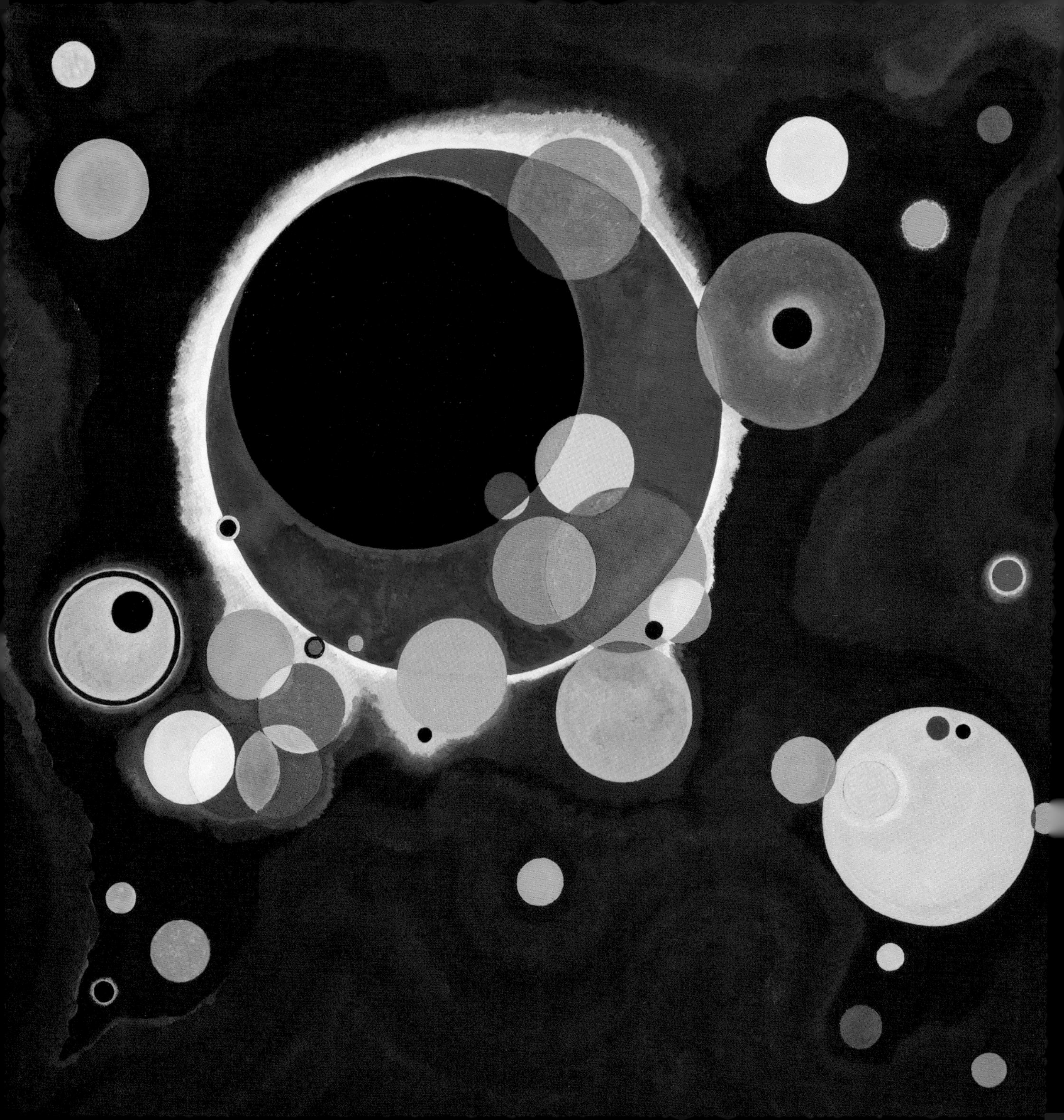

눈을 감아봐
순식간에 우주 한 가운데에 와 있어!

휘릭 – 쓰윽 –
별들이 속삭이며 주위를 맴돌고

저건 뭘까? 커다란 검은색 구멍 말이야
모든 게 쏙 빨려들어가는 것만 같아

하지만 별들은 무섭지 않은가봐
오히려 당당하게 반짝이고 있잖아

말캉말캉 젤리별,
울퉁불퉁 돌멩이 별,
거품 같은 뽀드득 별까지

아롱아롱 별들아, 내일 또 만나

(((((**동글동글** 동그라미)))))

ave maria
ave maria

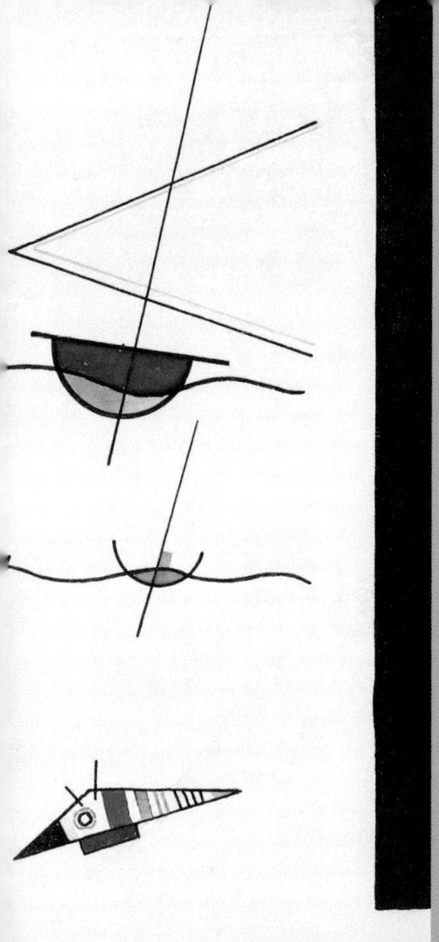

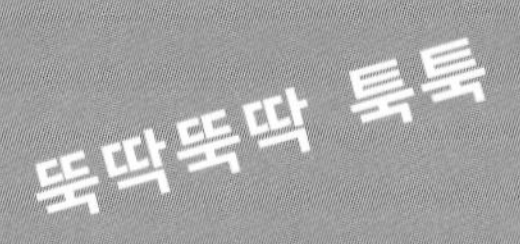

뭐든지 만드는 만능 공장에 온 걸 환영해!

윙윙 기계는 돌아가고

머리 위엔 알록달록 비행기들

쌩– 하고 자유롭게 날아다니네

컨베이어 벨트 위로

아기자기 귀여운 물건들이 줄지어 지나가는데

"어? 저건 내 장난감 로봇인가?"

어서 가지러 가야지, 달려 달려!

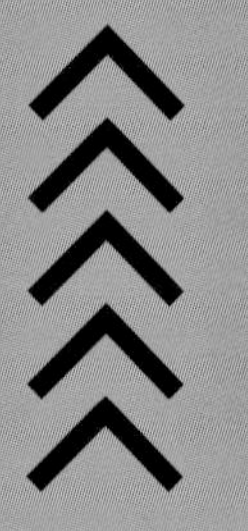

맑은 하늘

어여쁘게 떠있는 눈부신 태양

찰랑찰랑 —

물결 치는 바다 위로 부서지는 햇빛

아른아른 —

바다에 비친 햇빛이 무지개가 되었네

쏴아 쏴아 —

파도 소리에 색깔들이 흔들리고

오 색 찬 란

색색깔의 다이아몬드가 만들어졌네!

VALMIER

What's this?

삐죽삐죽 기운이 넘치는 빨간 세모, 레오

잔잔하고 부드러운 파란 세모, 블리

길쭉길쭉 키가 큰 직사각형, 리오

어디서든 차분하게 누운 직사각형, 티오

모험을 꿈꾸는 활발한 레오와 바람을 느끼며 생각에 잠기는 블리

더 높이, 멀리 꿈을 펼치는 리오와 누구보다 넓게 세상을 바라보는 티오까지

생김새는 달라도 하모니를 이루는 최고의 친구들!

세모 *TRIANGLE*

바람과 함께 흐르는 파도들

이리 흐르고, 저리 흐르다
서로 만나 이야기하네

“우리 종이배들을 춤추게 만들자!”

출렁출렁 파도에 몸을 맡기며
힘차게 항해하는 종이배

“밀어주고 끌어주는 고마운 파도야!
우리 같이 모험을 떠나보자”

바람따라 구름따라 새로운 세계로 가보자

WEIMAR
BAUHAUS AUSSTELLUNG 1923

– **와르르** 블럭 집이 무너진다!

– 오잉? 무너지지 않았잖아?

“나는 무너지지 않는 집이야. 누워있는 집이야”

집은 가만히 누워 마을을 바라봐요

땡– 땡– 아름다운 종소리와

웅성웅성 시장에서 들리는 정겨운 말소리들

오밀조밀 모여 바쁘게 하루를 살다

해가 지면 모두 따뜻한 집으로 돌아가요

“저녁 먹을 시간이야. 어서 들어와”

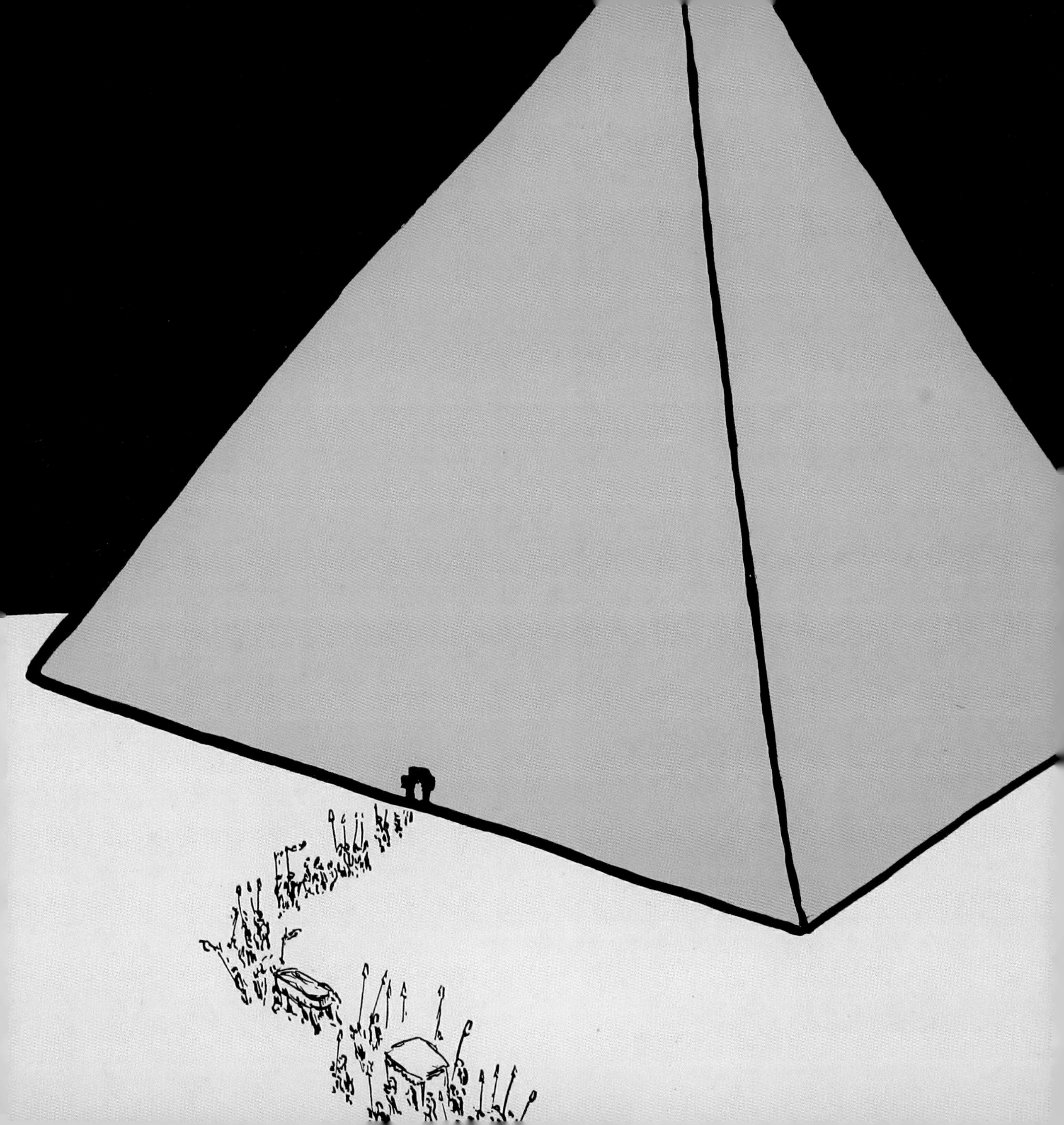

PYRAMID

개미도 잠을 자는 캄캄한 밤

노오란 피라미드가 사막 한 가운데에 우뚝 솟아있어

어디선가 들리는 발자국 소리

헐레벌떡 바쁘게 움직이는 장난감 병정들

하나 둘 피라미드로 들어가는데

뭘까? 무슨 일이 벌어진걸까?

하루가 지나고 이틀이 지나고

모두가 궁금해했어

그날 밤, 캄캄한 밤에

피라미드에서 생긴 일 말이야

하지만 그 밤, 그 캄캄한 밤에

무슨 일이 있었는지 아무도 알지 못한대

쓸쓸한 말들만 남아 사막을 떠돌고 있대

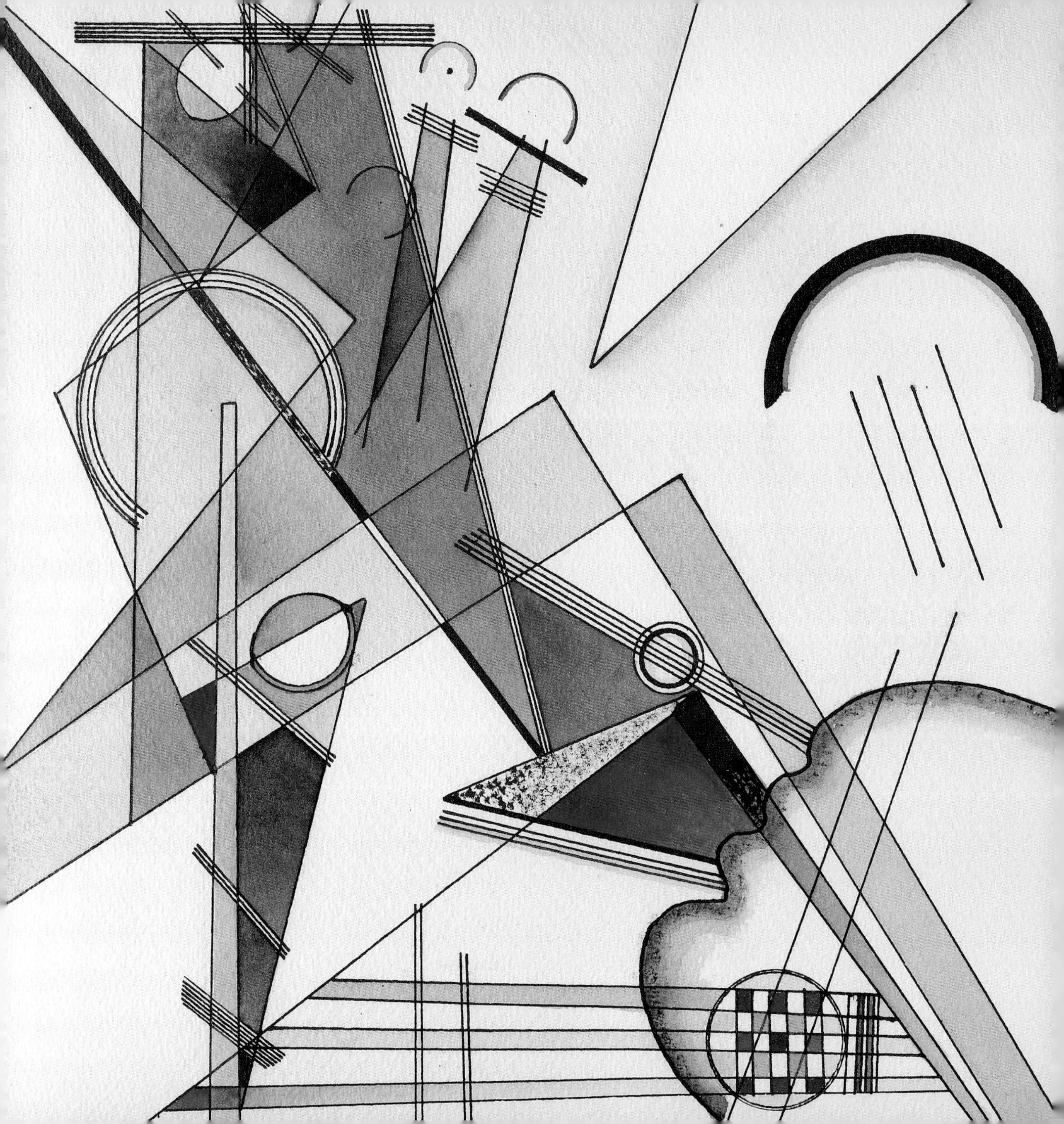

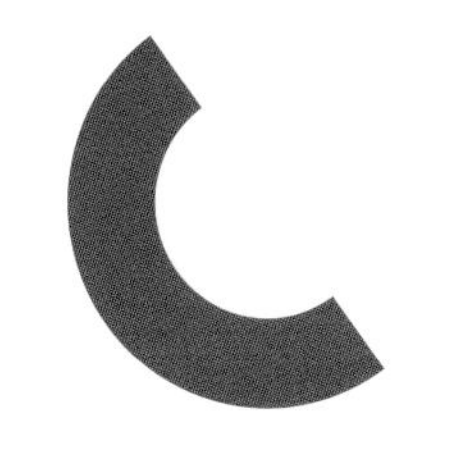

색깔들의 놀이터를 본 적 있나요?

활기찬 빨간색과
차가운 파란색이 만나
손잡고 뛰어노는 곳

따뜻한 노란색과
포근한 주황색이 만나
더 깊고 진한 색이 되고

색종이와 가위가 만나
싹 둑 싹 둑
신나게 모양을 만드는 곳!

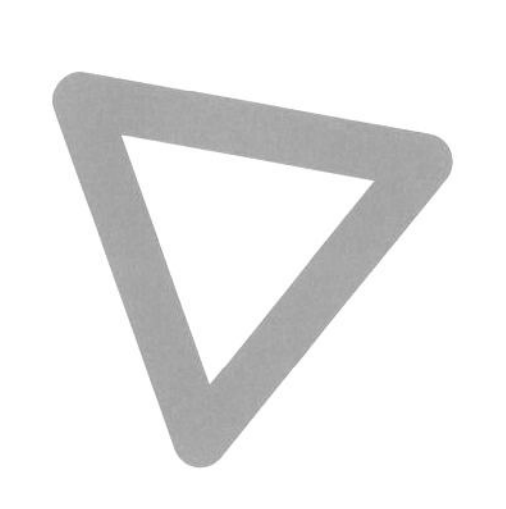

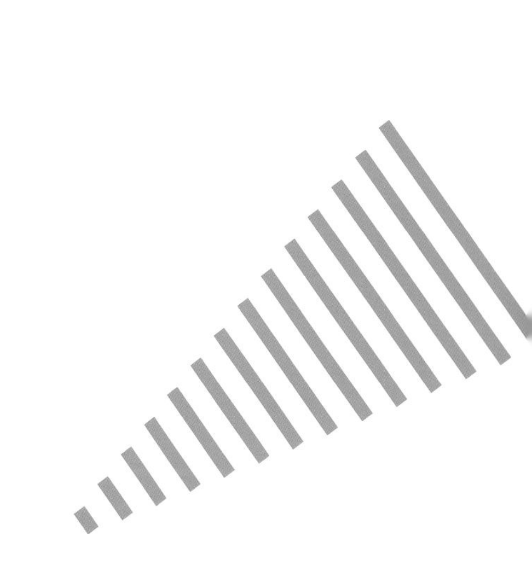

자, 지금은 눈으로 듣는 음악 시간!
오늘의 음악은 바로 '재즈'야

뒤죽박죽 엉켜있는 리듬을 봐

빨강, 파랑, 노랑, 초록
그리고 피아노 건반 같은 검정까지!

둥 둥 콘트라베이스 줄 튕기는 소리와
따라라란 가볍게 건반을 두드리는 피아니스트의 터치

빠밤 빰빰 공기를 가르는 트럼펫 소리가 어우러져
최고의 재즈 멜로디로 거듭나고 있어

음악은 귀로만 듣는 게 아니란다
이제 알겠지?

내 마음에는 창문이 있어요

하나, 둘, 셋, 넷

작게 내어놓은 4개의 창문

첫 번째 창문을 열면

이른 아침 청량한 공기가 내 마음 가득 들어오고요

두 번째 창문을 열면

깊은 생각의 호수로 들어가요

세 번째 창문은요

여름날 우리 가족 다 함께 떠났던 시원한 바닷가가 보이고요

네 번째 창문은

사랑의 감정을 꺼내는 창문이에요

모두 다른 창문이 모여 내 마음을 이룬답니다

네모 *RECTANGLE*

엄마 아빠는

우리가 바쁘게 살고 있대요

그래서 밤에도 낮에도 언제나 빛이 있대요

도시를 밝혀주는 빛은

아파트와 건물에서 찾을 수 있어요

하루를 살아가는 멋진 사람들의 흔적들

하늘을 밝혀주는 새하얀 달빛은

조용히 세상을 비춰줘요

어두워 길 잃은 사람들을 위한 거래요

어디에나 빛이 있어요 꼭 기억하세요

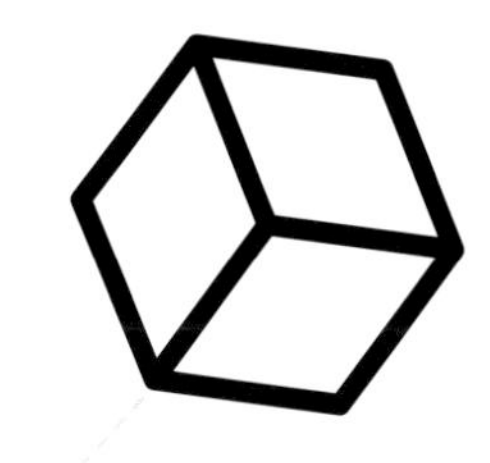

3, 2, 1, 발사!

쿠루룽–

엄청난 소리와 함께 하늘로 솟아오른 로켓

어디까지 날아갈까?

높이 높이

점점 멀어지더니

코딱지보다 작아지더니

로켓의 여행이 시작됐지

“안녕, 지구야. 잘 있어!”

네모 빼곡한 건물숲을 내려다보며

뭉게뭉게 구름을 지나

아름다운 은하수에서 반짝이는 물 한 모금

뜨거운 태양을 볼 땐 선글라스 필수야

어디까지 날아가볼까?

로켓의 우주 여행

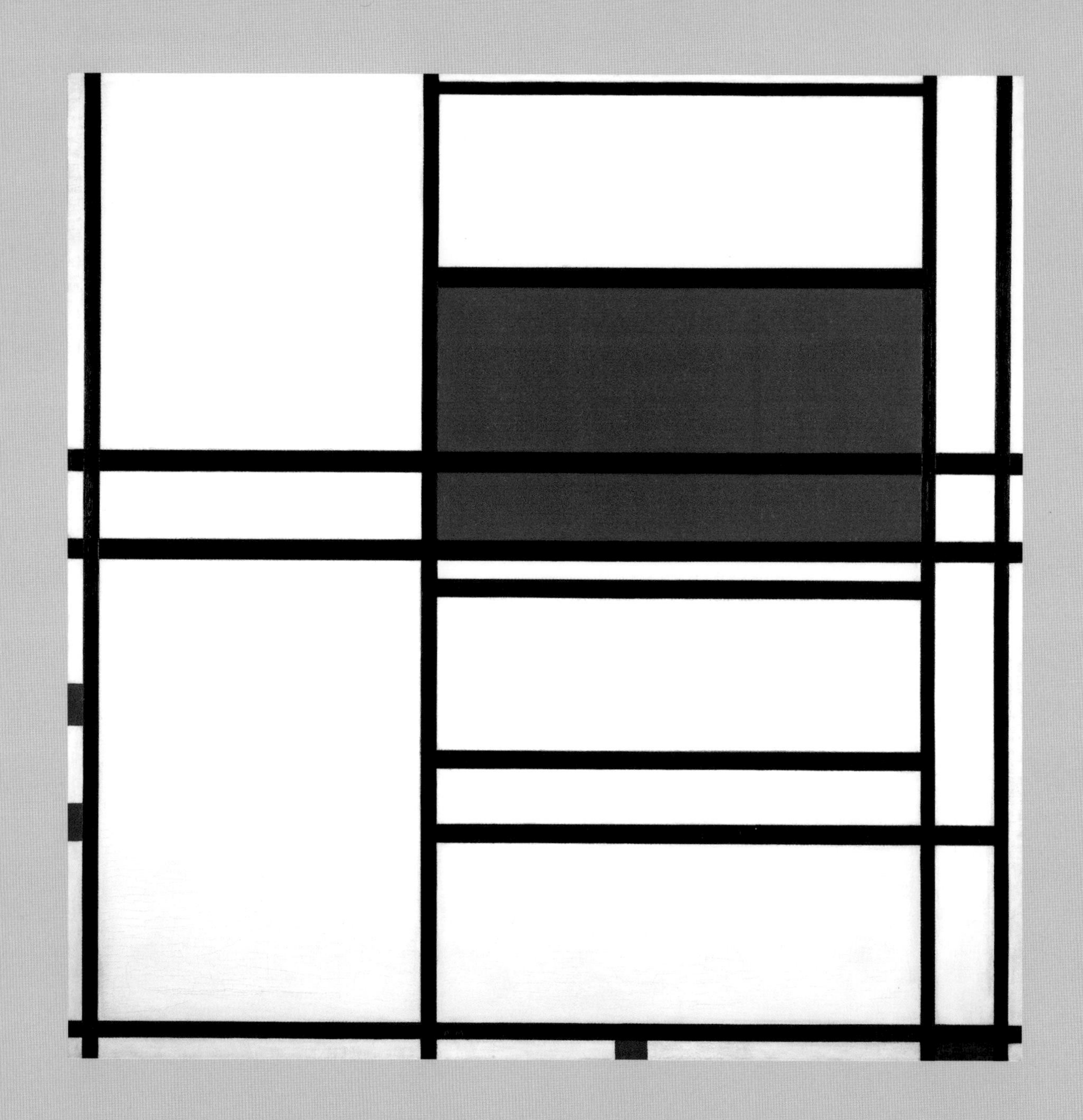

하얀 네모의 세상에 빨간 네모가 나타났어요.

유난히 새하얀 색 때문에
어딜 가든 눈에 띄었죠

처음에는 남들과는 다른 듯한 모습에
주눅이 들었지만
점점 주변에서 자신을 바라보는
시선이 좋았어요

"나는 특별해!"

빨간 네모는
자신만의 **톡톡** 튀는 모습을 인정하고
모두에게 기쁨을 주는 존재가 되었답니다
"세상에 완벽하게 똑같은 건 없어,
그래서 우린 모두 소중해!"

네모 친구들은
질서를 잘 지켜요

사이좋게 줄도 잘 서고
순서대로 차곡차곡 쌓인답니다

서 있거나 누워있을 때에도
흔들림 없이 단단하게

모두 다르게 생겼지만
모나게 생긴 네모지만

언제나 친절한
네모 친구들

빨간 벽으로 둘러쌓인 이 방은
색깔 박사의 실험실이에요

언제나 호기심 넘치는 색깔 박사는
오늘도 새로운 실험을 해요

작은 컵에 **주르륵**– 여러가지 액체를 붓고
노랗고 길다란 막대로 **휘휘**– 저으면
펑! 하고 요상한 주스 완성!

오늘은 또 어떤 엉뚱 주스가 완성 됐을까?

이 주스 한 번 마셔볼 사람!

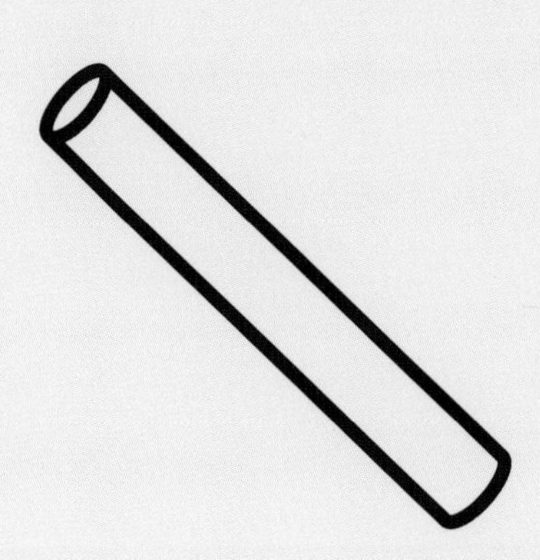

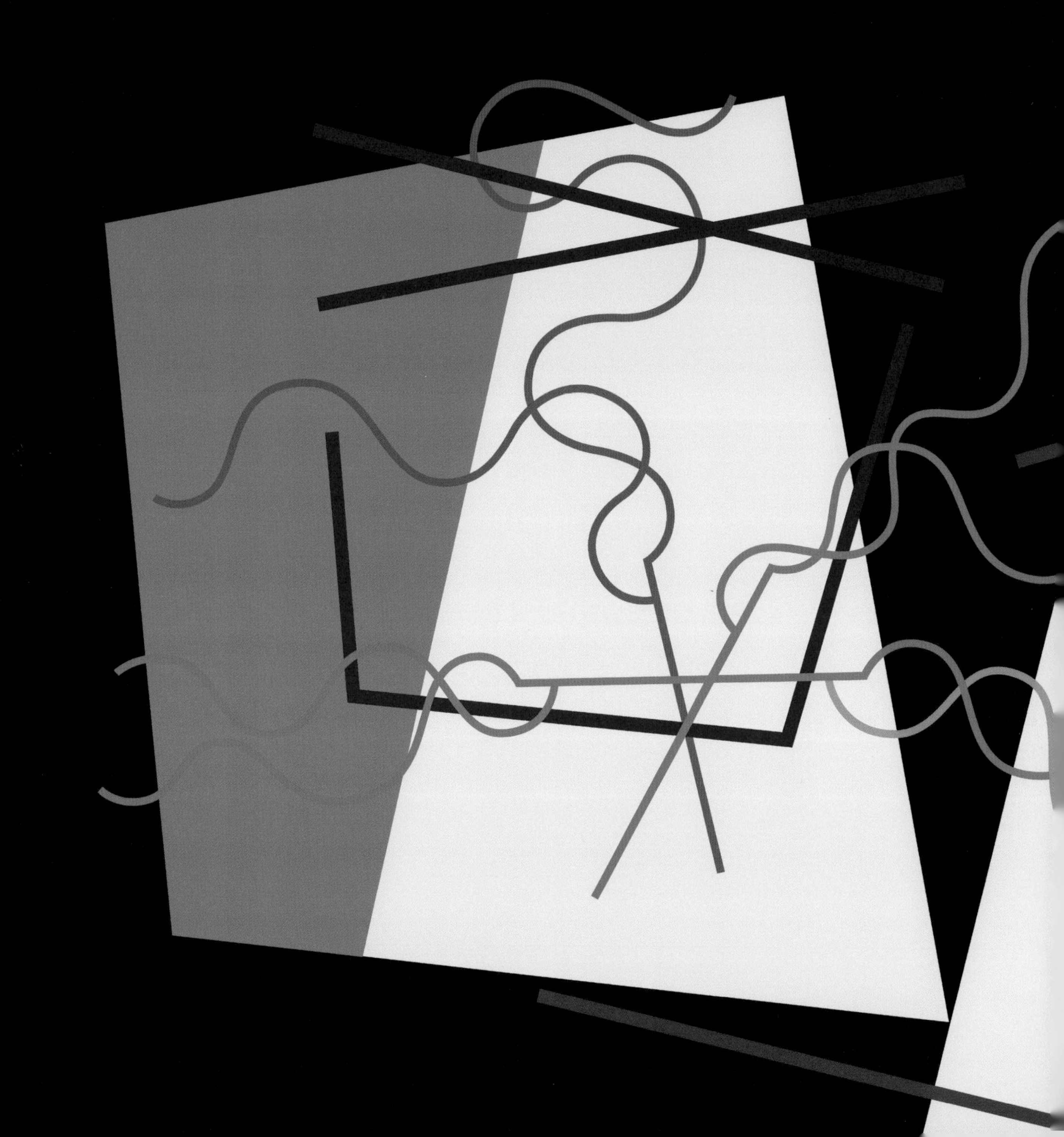

밤하늘을 무대로

화려한 선들이 춤을 춰요

우리는 이 우주의 아이돌!

흐물흐물 구부러지고

유쾌하게 튕기며 마음껏 뛰놀아요

길다란 직선과 구불구불 곡선이 교차하며

선보이는 멋진 듀엣 댄스!

제각각 뽐내며 밤하늘을 수놓아요

〈리듬 3번〉
로베르 들로네, 1938

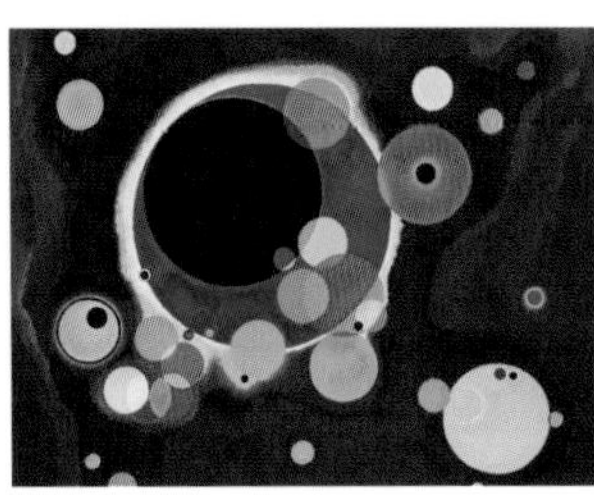

〈동그라미들〉
바실리 칸딘스키, 1926

〈디스크 릴리프〉
로베르 들로네, 1936

〈그룹 IV, 3번. 십 대, 청춘〉
힐마 아프 클린트, 1907

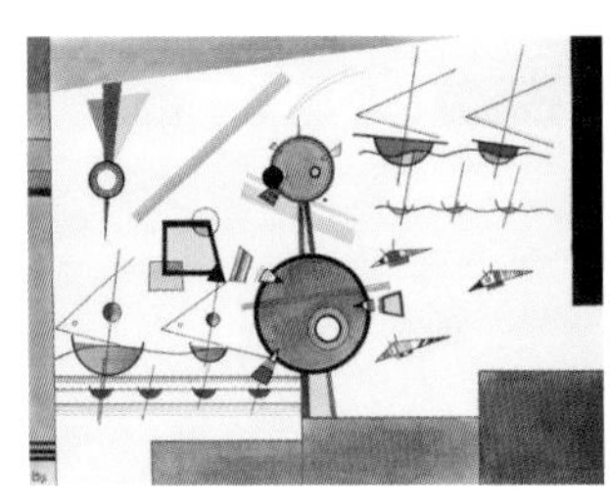

〈플로팅_슈베벤〉
바실리 칸딘스키, 1924

〈그룹 IX, 백조 12번〉
힐마 아프 클린트, 1915

〈기대어 있는 그림〉
조르주 발미에, 1921

〈두 개의 직사각형〉
데이비드 험버트 드 수퍼빌, 연도미상

〈코트 드 프로방스〉
파울 클레, 1927

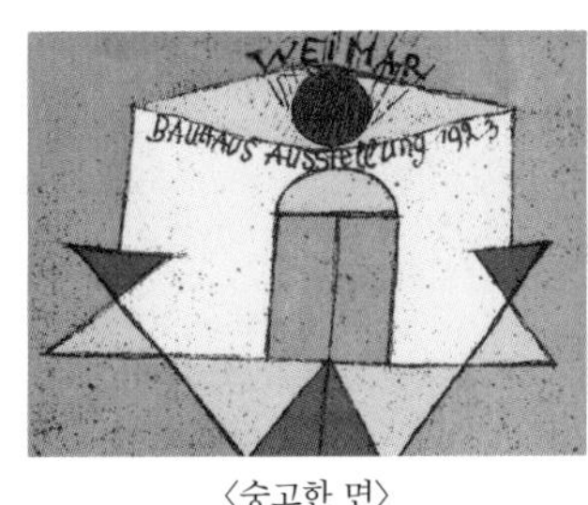

〈숭고한 면〉
파울 클레, 1923

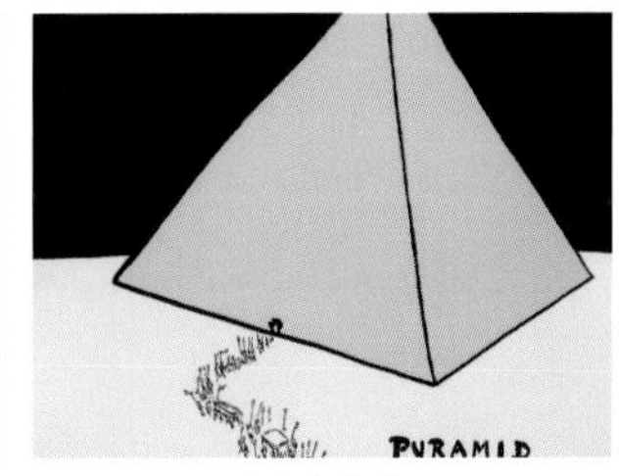

〈피라미드〉
헨드릭 빌럼 판 론, 1920

〈게베베Gebebe〉
바실리 칸딘스키, 1923

〈피규어 구성〉
야코브 웨이드먼, 1895

〈색의 톤, 색조〉
제임스 워드, 1912

〈빨간 십자와 흰 공〉
라슬로 모홀리 나기, 1921

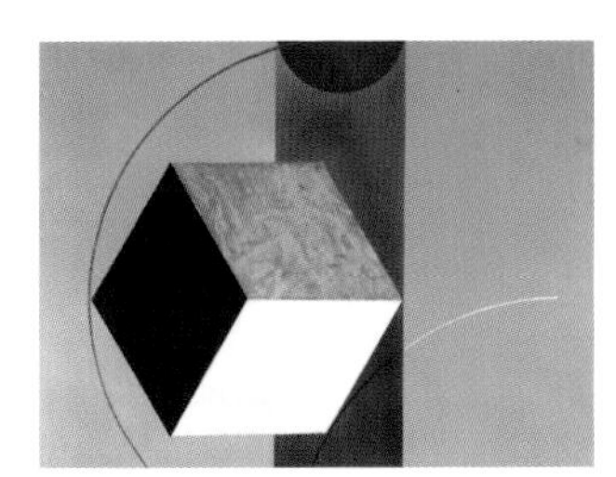

〈Proun 99〉
엘 리시츠키, 1923-25

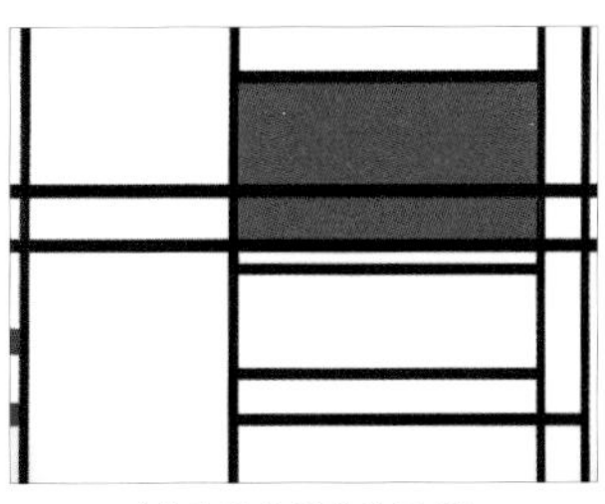

〈빨간색과 흰색의 구성〉
피에트 몬드리안, 1938-42

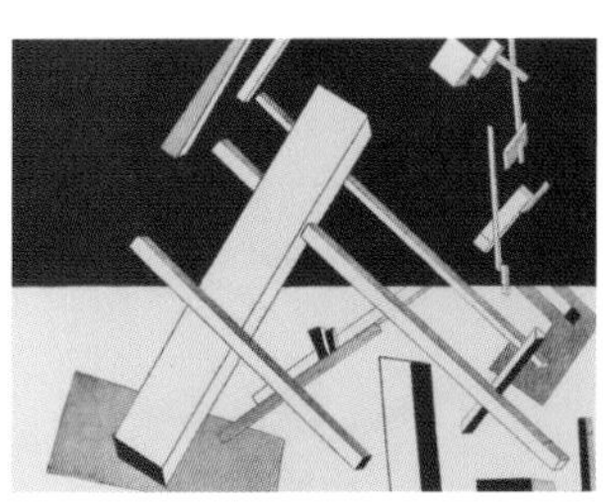

〈Proun 4B에 대한 연구〉
엘 리시츠키, 1920

〈무제〉
패트릭 헨리 브루스, 연도미상

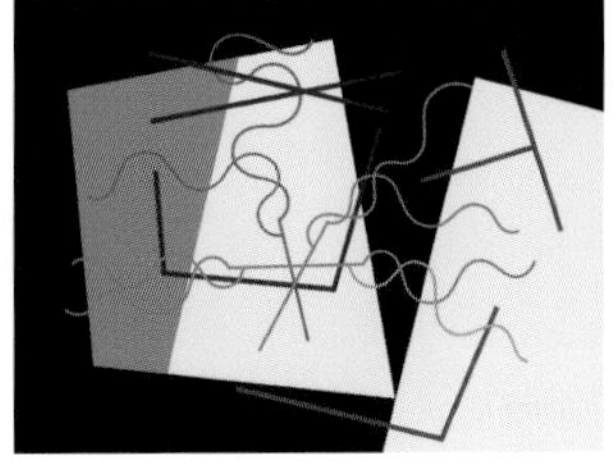

〈막대와 물결선〉
미리암 티에스, 2014

〈풍경〉
조르주 발미에, 1920

G. VALMIER